事实还是假象 FACT OR FAKE

北极熊是白色的吗？

[英]伊齐·豪厄尔 著　郭澍 译

动物真相大揭秘！

CTS K 湖南科学技术出版社·长沙

图书在版编目（CIP）数据

事实还是假象. 北极熊是白色的吗？动物真相大揭秘！ /
（英）伊齐·豪厄尔著；郭澍译. — 长沙：湖南科学技术出版社，2024.12
ISBN 978-7-5710-2895-4

Ⅰ.①事… Ⅱ.①伊… ②郭… Ⅲ.①科学知识—动
物—青少年读物 Ⅳ.① Z228.2

中国国家版本馆 CIP 数据核字 (2024) 第 091859 号

著作权合同登记号：18-2024-107

事实还是假象：北极熊是白色的吗？动物真相大揭秘！
SHISHI HAISHI JIAXIANG：BEIJIXIONG SHI BAISE DE MA? DONGWU ZHENXIANG DA JIEMI!

著　　　者：[英]伊齐·豪厄尔　　　　译　　者：郭　澍
出　版　人：潘晓山　　　　　　　　　责任编辑：李　叶　谷雨芹　谢俊木子
出版发行：湖南科学技术出版社
社　　　址：长沙市芙蓉中路一段 416 号泊富国际金融中心
网　　　址：http://www.hnstp.com
印　　　刷：湖南省众鑫印务有限公司（印装质量问题请直接与本厂联系）
厂　　　址：长沙市榔梨街道梨江大道 20 号
邮　　　编：410600
版　　　次：2024 年 12 月第 1 版
印　　　次：2024 年 12 月第 1 次印刷
开　　　本：880 mm × 1230 mm　1/32
印　　　张：3
字　　　数：58 千字
书　　　号：ISBN 978-7-5710-2895-4
定　　　价：36.00 元
（版权所有·翻印必究）

目 录

你能分清
事实和假象吗？

鹤鸵的爪子是致命的武器。

啊啊啊啊！

鲨鱼在地球上生存的历史比树还要长。

不可能！

海象可以用牙来滑雪。

什么？

北极熊是白色的。

这还用说！

（难道不是吗？）

关于动物，有哪些是人们以讹传讹的谎言？又有哪些是令人大跌眼镜的真相？翻开本书，一起来寻找答案吧——拨开真真假假的迷雾，探索背后的科学真理。这些时而神奇，时而怪诞，甚至令人惊掉下巴的动物真相，一定会让你的亲朋好友对你刮目相看！

大象跳不起来

是真是假？

鉴于一只雄性非洲象的体重可能高达6吨，实在难以想象它如何能跳起来！除了体重过重外，大象腿部的骨骼几乎完全是垂直固定的，不会弯曲，也就是说，大象的4条腿无法同时离地，因此也就跳不起来！

科学揭秘

大象也不需要什么跳起来的理由。大多数跳跃好手进化出跳跃技能都是为了逃避捕食者。而成年大象体形巨大，除了人类以外，它们实际上并没有捕食者，因此待在地面上就很安全！

不光不会跳，还不会跑

严格意义上说，大象其实也不会跑！它们行进时，不会让4只腿同时离地，所以，那充其量只能算是快步走，而不是跑！

结论

真

牛有4个胃

是真是假？

这一说法几乎可以以假乱真了，不过有一个重大区别。牛没有4个胃——而只有一个胃，里面分为4个独立的房间，叫作"胃室"！

结论 **假**

科学揭秘

牛的4个胃室可以让它消化掉不好被身体吸收的草和其他粗糙的植物。在消化过程中，牛会把没完全消化的食物重新返回到嘴里，这个过程叫"反刍"。牛在反刍时，会重新咀嚼反刍出来的食物并咽下，好让食物继续消化。

考拉是熊

别叫我熊，伙计！

是真是假？

虽然这些毛茸茸又软乎乎，让人看了不禁想抱住的考拉有时被叫作"树袋熊"，但实际上这个叫法是完全错误的。考拉并不是熊，它们其实属于有袋类动物，这个大家族里还有袋鼠、毛鼻袋熊和负鼠等。

科学揭秘

有袋类动物主要居住在大洋洲，但也有些物种生活在北美洲和南美洲。和斑马等其他哺乳动物相比，有袋类动物的幼崽出生时都是早产儿。所有的有袋类动物，包括考拉，都会在肚子靠下方的一个叫"育儿袋"的皮口袋里养育幼崽，直到它们长大。

结论
假

鸵鸟的 眼睛 比脑子大

不过我依然很美。

是真是假？

鸵鸟眼球直径足有5厘米，是所有生存在陆地上的动物中眼睛最大的！和它那可怜的只有4.2厘米直径的脑子比起来，显而易见，眼睛要大得多！

科学揭秘

鸵鸟的无敌大眼睛给了它绝佳的视力，有助于它发现狮子、豹子等捕食者。不过，即便捕食者靠得很近了，也不必担心——只要鸵鸟踢上一脚，足够把一头狮子给踢死！

多项冠军

除了拥有陆地上最大的眼睛，鸵鸟还"获得"过多项世界冠军：鸵鸟是世界上最大的鸟类（高2.7米，重150多千克），鸵鸟蛋是世界上最大的蛋（长15厘米，重达1.5千克）！

结论
真

5

有些黄貂鱼像汽车一样大

可真是大呀！

某些淡水黄貂鱼体形巨大，足有2米宽、4米长，几乎和一辆车一样大！这些巨大的鱼类，一条的重量相当于四个成年男子。

科学揭秘

科学家对这些神秘的巨兽知之甚少，因为它们潜藏在东南亚的河底。它们打败了其他巨大的鱼类，如湄公河巨型鲇鱼、欧洲鳇、巨骨舌鱼等，稳居"世界第一大淡水鱼"的宝座。

结论

真

蜜蜂蜇人后自己会死掉

我早就叫你别蜇我！

是真是假？

蜜蜂蜇人一下，不仅让人感到非常疼，也意味着这只蜜蜂即将悲壮地走到生命的终点！由于人的皮肤太厚，蜜蜂无法将倒钩拔出来，除非把自己的身体扯断。这样做蜜蜂必死无疑！真可怜！

结论
真

科学揭秘

蜜蜂的刺上有一排排细小的倒钩，让它能刺得很深。它们蜇了其他昆虫后，可以不伤及自身就把刺拔出来，可一旦蜇了人类，就没那么幸运了。

谁与争"蜂"？
黄蜂和熊蜂就可以一遍遍地蜇人，毫无压力！

龙虾

是

红色的

我是青色的，真的！只能说你和虾太"不熟"了……

是真是假？

想象一只龙虾在野外是什么颜色……绝对是红色，不是吗？！其实，龙虾生来是青色的。它们只有在熟了之后才会变红！

科学揭秘

龙虾的壳里含有蓝色、橙色和红色等色素，这几种色素混合在一起，使龙虾呈现出青色。龙虾做熟之后，壳里的蓝色和橙色色素被分解掉了，只留下了红色色素！

结论

假

树懒不放屁

是真是假？

树懒行动迟缓，吃东西很慢，消化起来也很慢。它们每3个星期拉一次屎，而且从来不放屁。

披上绿衣

树懒行动如此缓慢，以至于皮毛上长出苔藓和藻类，渐渐地把树懒变成绿色，使它们成功地隐蔽在树丛中。

科学揭秘

树懒的食物在消化道中分解时会释放气体。但这些气体不会穿过树懒的身体最终从肛门排出，而是由血液重新吸收，在气体被输送到肺部后随着呼吸被排出。所以，树懒虽然不放屁，可是它们的呼吸闻起来就像屁。

结论
·········
真

海狸长着铁齿铜牙

是真是假？

海狸为何能把坚硬粗壮的树桩子咬穿，这背后究竟藏着什么秘密？答案是铁齿铜牙！海狸牙齿表面的牙釉质充满了铁元素，这让它们有一副不易损坏或腐蚀的好牙口。这些铁元素来自海狸的饮食。

科学揭秘

海狸会用它们的大门牙啃断树干和树枝，然后用这些断枝做成大坝，堵住河流，形成一个个新的小湖。它们还用树枝和木棍搭成舒适的窝来住！

结论

真

灿烂的笑容

海狸牙釉质里的铁元素百利而只有一害——笑起来会露出一口亮闪闪的大黄牙！

羊都很愚蠢

谁，群吗？

是真是假？

如果想用"蠢得像羊一样"来骂一个人蠢，那可能无法如愿了！羊其实是极其聪明的群居动物，甚至会团结一致，共御外敌！

科学揭秘

科学家们发现，羊会建立长久牢固的友谊，能识别并记住其他羊，甚至还能从一个复杂的迷宫里走出来——一些人都做不到这样呢！

结论

假

百足有

是真是假?

尽管"百足"这个名字从字面意思来看是"有100条腿",可百足实际上不可能有100条腿!它们足的对数永远是奇数,因此它们可以有98条(49对)腿或102条(51对)腿,但永远不会是正好的100条腿!

科学揭秘

自然界已知的百足类动物有将近3 000种,但就连接近100条腿的都相当少见。一些百足只有14对足,而还有些百足却用令人惊叹的177对足迈着小碎步爬着。

100条腿

结论 假

猫的呼噜声表示开心

开心?

饿了?

呼噜噜!

健康?

是真是假?

发出呼噜声的猫咪是开心的猫咪，对吗？——错！或者至少不完全对。猫咪确实常常发出开心的呼噜声，不过猫咪打呼噜，也可能有其他目的，比如交流，甚或是在进行自我疗愈！

结论

假

科学揭秘

猫咪出生后没几天就开始学会通过呼噜来告诉妈妈它们在哪儿了。呼噜作为一种交流方式一直伴随至猫咪成年，许多宠物猫发出呼噜声，意思是"我饿了！"。一些科学家认为，猫咪呼噜时的喉部震动可以让它的全身骨骼和组织保持健康。

今天我感觉自己变了！

所有的小丑鱼生来都是雄性

是真是假？

真是不可思议，这竟然是真的！所有的小丑鱼出生时都是雄性，但有一些在成年后会变成雌性。

切换自如

小丑鱼从雄性变成雌性是不可逆的。然而，五彩鳗却可以根据需要来回切换性别！

科学揭秘

小丑鱼的种群由一条强壮的雌性、一条强壮的雄性，外加一群较小的雄性组成。两条强壮的小丑鱼完成交配。如果雌性鱼死去，种群中那条强壮的雄性鱼就会变成雌性并取代其位置！而他自己的位置则由那些较小的雄性中的一条顶上。

结论
真

非洲黄冠鼠的皮毛有剧毒

是真是假？

非洲黄冠鼠毛茸茸的，和兔子一样大小，看上去十分可爱，可它毛茸茸的皮毛却藏着一个危险的秘密！它某些部位的毛发毒性非常强，可以毒死潜在的捕食者！

科学揭秘

非洲黄冠鼠本来没有毒。它们通过咀嚼有毒的植物，再把毒液舔到皮毛上而成为制毒高手，为自己穿上防身的毒衣。任何捕食者，只要敢下嘴，必然会中毒。轻则生病，重则身亡。

小心！
非洲黄冠鼠不是哺乳动物中唯一擅长用毒的！懒猴和一些种类的鼩鼱，还有蝙蝠，它们都有毒牙。

结论……
真

蜘蛛和蜗牛是昆虫

是真是假？

有人习惯将所有令人毛骨悚然的爬虫都称为"昆虫"，但昆虫其实只是某一特定类型的动物。真正的昆虫要有6条腿，所以，蜘蛛和蜗牛绝对不是昆虫！

科学揭秘

蜘蛛和蜗牛的确有一些昆虫的特点。它们都是无脊椎动物，也就是说，都没有脊椎骨。蜘蛛，还有蝎子和虱子，都属于无脊椎动物里的蛛形纲。而蜗牛是无脊椎动物里的腹足纲软体动物。

不好意思，添麻烦了，我们可以加入贵帮吗？

结论

假

17

蝴蝶用脚来品尝味道

嗯，真香！

是真是假？

我们要是用脚来品尝味道，想想就恶心，对吗？无法摆脱那股臭脚丫子味儿！可是对于蝴蝶来说，用脚尝味道却是再自然不过的事。它们的味觉感受器和嗅觉感受器都长在脚上！

科学揭秘

虽然蝴蝶会用脚品尝味道，但蝴蝶可不用脚来吃东西！它们用一根叫作"口器"的长管子来吸食花蜜。但是，因为口器上几乎没有什么味蕾，所以蝴蝶只能靠脚来找到好吃的食物！

咸味小零食

蝴蝶可以用脚尝出各种味道，比如甜、酸、咸等！如果一只蝴蝶落在你的皮肤表面，很有可能是因为它们馋你汗液里的盐分了！

结论 真

蟑螂都是害虫

> 太没礼貌了！

是真是假？

虽然只要想到蟑螂就会让人毛骨悚然，其实绝大多数的蟑螂根本不会靠近人类！在所有的4800种蟑螂中，只有30种喜欢住在人类居住的房子里，吃人类的食物。

结论

假

科学揭秘

世界上除了南极洲，每个大洲都有蟑螂。大多数蟑螂生长在热带地区，但也有一小部分蟑螂种群生活在自然条件比较极端的地方，比如沙漠和高山。绝大多数蟑螂都老老实实地自己待着，所以，或许我们应该给它们一个重新认识它们的机会！

男同胞们都去哪儿了？

全球变暖让许多海龟变成雌性

是真是假？

许多动物的性别在受精时就已经决定了。但是海龟的性别却是由温度决定的！海龟产卵的沙土越暖和，越容易孵出雌性海龟。

科学揭秘

正常情况下，海龟在不同温度的巢穴产卵。温度有凉有热，所以孵出的海龟有雄性，也有雌性。可是全球变暖让海龟的巢穴温度普遍升高。这就使得孵出的雌性海龟数量远大于雄性海龟，从而导致海龟的繁殖更加困难。

消失的雄龟

在一些受到全球变暖影响尤为严重的地方，已经20年没有孵出过雄性海龟了！

结论

真

20

有些哺乳动物会下蛋

是真是假？

如果你觉得有袋类动物（参见第4页）就已经够奇怪的了，那么再看看单孔目动物！这是一种神奇的哺乳动物，和其他哺乳动物通过分娩产下幼崽的生产方式不同，单孔目动物是卵生。

结论
真

科学揭秘

现存的单孔目动物只有五种——鸭嘴兽，还有四种针鼹。它们都生活在澳大利亚和新几内亚岛。生蛋不是单孔目动物唯一区别于其他哺乳动物的独特之处。单孔目动物也是母乳喂养，不过它们没有乳头，乳腺分布在皮肤上，幼崽是通过吸吮母亲的皮肤来喝奶的。

虎鲸，其实是

是真是假？

许多年前，水手们看到虎鲸一起猎杀体形更大的鲸，于是称它们为"杀人鲸"。随着时间的流逝，真相终于大白，人们发现虎鲸其实是海豚，不过"杀人鲸"这个外号仍然被保留了下来！

科学揭秘

虎鲸是海豚家族最大的动物，雄性虎鲸有时甚至长10米多！它们是强有力的捕食者，海洋里几乎所有的生物，不论是海豹还是海鸟，鱿鱼还是鱼类，都是它们的"盘中餐"。

22

海豚

很凶残，但也很聪明

虎鲸极其聪明！它们是为数不多的几种能在镜子里认出自己的动物之一，这样的动物还有黑猩猩、大象和喜鹊。

结论
真

等一下，你说啥？

北极熊是白色的

科学揭秘

北极熊的毛发是中空的。每一根毛里面的空气都会通过光线产生反射作用，从而让它们的毛看起来呈白色。这就是为什么即使北极熊的毛发不含白色素，它们看起来依然是白色的。

是真是假？

不好意思，让你失望了，北极熊真不是白色的！它们的毛色其实是半透明的，只不过一种巧妙的光线效果让它们看上去像白色的，这也为它们在白茫茫的北极穿上了一层保护色。

藏在皮肤里的惊人秘密

北极熊毛茸茸的外表下，竟然藏着乌黑油亮的皮肤！这身黑色的皮肤可以让它们吸收更多太阳的热量来保暖。

结论
假

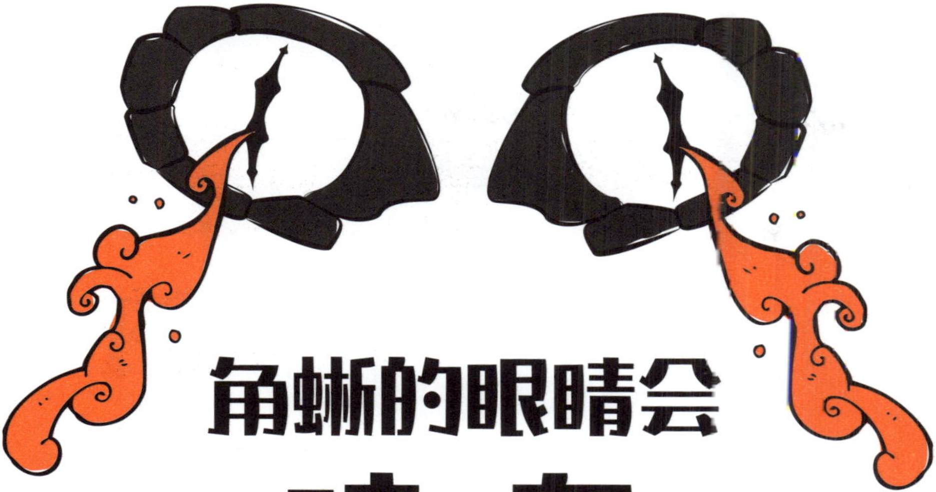

角蜥的眼睛会
喷血

如果你想抓角蜥，千万要小心它的眼睛！这种蜥蜴有一种很可怕的防御技能——会用眼睛喷出味道很恶心的血，而且常常喷到捕食者的嘴里！咦，真恐怖！

科学揭秘

许多动物，比如郊狼、鹰、狐狸、蛇，都特别爱吃角蜥，不过角蜥会通过变色来伪装自己。一旦伪装失败，角蜥眼睛下方的小囊里就会充满恶心的血液，然后喷出来。这些血液能喷出2米远！

结论

真

25

鸡耳垂的颜色决定了鸡蛋的颜色

科学揭秘

虽然鸡的耳朵被头上的羽毛遮住了，可还是能看到它们的耳垂悬垂在脸的两侧。因为决定耳垂颜色的基因刚好也决定着鸡蛋的颜色，所以这样的颜色配对也就不稀奇了！

是真是假？

等等，鸡居然还有耳垂？！这已经够让人震惊的了，可是你知道吗？它们不仅有耳垂，耳垂的颜色还决定着它们下什么颜色的蛋。白色的蛋是有白耳垂的鸡生的，而褐色耳垂的鸡生的蛋就是深色的。

结论

真

变色龙变颜色是为了防身

变色龙是颜色变化的高手，不过它们最不可思议的颜色变化实际上不是为了和环境的颜色融为一体。这些五颜六色的变化是为了和其他变色龙交流，或是为了求偶。

冷静的变色龙

科学家们认为，变色龙变颜色，还可能是为了控制体温。它们会把皮肤的颜色变深，来吸收太阳的热量，或是变浅来反射太阳光，好让自己凉快些。

科学揭秘

变色龙可以变颜色，是因为它们的皮肤细胞里含有各种细小的色素和晶体。它们确实会用保护色来躲避捕食者，但通常也仅仅是变得稍微深一些，以和周围的树叶、树枝融为一体。

结论
假

欧洲雨燕
可以在天上飞 10个月 不落地

> 地上都是熔岩！

是真是假？

欧洲雨燕一年里从欧洲迁徙到非洲，再飞回去，可以飞10个月不间断！不过它们的双脚从来不会真正踩在非洲大地，这段时间几乎都在空中度过！

科学揭秘

欧洲雨燕在天空中完成所有吃喝拉撒，甚至交配！它们从地面这样平坦的表面起飞很困难，因为它们的腿很短，而翅膀又太长，所以在天空中滑行对它们来说反而更容易！它们偶尔也会栖息在树枝上。

结论
真

鲨鱼可以在1000米以外就闻到血腥味

我闻到美味的午餐了!

科学揭秘

鲨鱼的嗅觉听起来很厉害,不过这其实是大多数其他鱼类的一般嗅觉水平。即便真的在海里受伤流血,而且附近有鲨鱼,气味分子在水里传播也需要一定的时间,可以有足够的时间上岸包扎伤口!

是真是假?

鲨鱼的嗅觉的确很灵敏,但1000米也太夸张了。它们实际上能在几百米以外闻到血腥味。

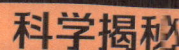

蜜糖还是砒霜?

鲨鱼其实并不喜欢人的味道。大多数人被鲨鱼攻击的情况都是因为鲨鱼认错"人"了——把人错成了鱼或海豹。

结论
假

就算
世界末日
来了,水熊虫也
不会死

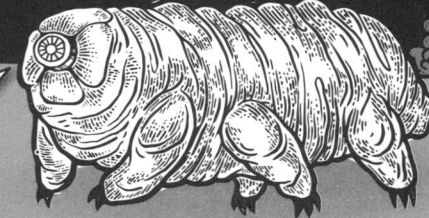

你们得努力了!

是真是假?

虽然水熊虫身体极其微小,但它们的生命力却超级顽强。几乎没有什么能杀死它们——不论是开水煮、冰冻、脱水,还是辐射、高压,都无济于事。所以,就算世界末日来临,这种坚不可摧的无脊椎动物也很有可能会活下来!

科学揭秘

水熊虫脱水后也能活过来,而且在150摄氏度的高温和零下273摄氏度的低温中也能存活。不论是在滚烫的温泉、干旱的沙漠,还是在海底、外太空,它们都能存活。难怪它们在地球上已经存在了5亿年!

结论

真

鹤鸵的**爪子**是**致命**的武器

小心了！鹤鸵是世界上最危险的鸟类之一。人要是被它的爪子抓了，严重者可致死！

科学揭秘

鹤鸵两只脚上各有3个脚趾，每个脚趾上都有一个可怕的趾爪，长达12厘米。如果鹤鸵感到有威胁，就会用匕首一般的爪子攻击敌人。只需一抓，捕食者就会被撕开。所以，最好还是躲它远远的！

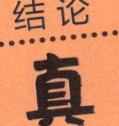

结论

真

不用谢我！

如果你还是不死心，非要近距离试试鹤鸵的实力，那就再告诉你一个真相吧。它们追起来时速可达50千米，个头高达2米，体重相当于6只天鹅！

31

弹涂鱼
离开水
也能活

我就像那离开水的鱼！

是真是假？

并非所有鱼类都必须生活在水里。有那么几种鱼，其中包括弹涂鱼，就可以呼吸空气，在陆地上生存！这种鱼被称为"两栖鱼类"。

科学揭秘

弹涂鱼是所有两栖鱼类中的"豪杰"。它不仅能在陆地上直接呼吸空气（用的还是皮肤！），还能跑能跳，甚至还能上树！

结论

真

斑马的条纹可以帮助它们隐蔽

是真是假？

斑马条纹背后的秘密多年来一直困惑并吸引着科学家。一个比较流行的说法是，它们的条纹是一种保护色，可以帮它们在草丛和树丛里藏身。不过，斑马大多数时候都在开阔的草地上活动，这一说法的可信度也就不太高了。

结论
······
假

科学揭秘

最新的研究证实，斑马身上的条纹其实是为了防止蚊蝇叮咬。还有证据表明，这些条纹可以给斑马降温。所以，它们的条纹可能不止一个用途，重点是看起来美观又时髦！

独一无二的条纹

每一只斑马的条纹图案都是独一无二的！一些科学家认为，斑马可以利用条纹的图案来辨认同伴。

狗看到的世界是黑白的

是真是假？

我们的狗狗朋友看到的这个世界的颜色确实和我们见到的有所不同！可它们眼中的世界不是黑白的，它们也能看到黄色调和蓝色调。

科学揭秘

如果拿狗的眼睛和人类的眼睛比较，人类的眼睛包含更多感光细胞，所以我们能看到更多种类的颜色。但是狗的眼睛包含更多可以在光线暗的地方也能看清的细胞，所以它们的夜视能力比我们强很多！

结论

假

独角鲸用它们的长角捕食

> 啊，多么美味的烤鱼串！

是真是假？

雄性独角鲸被誉为"海中独角兽"，因为它们脑门中心有一根长长的角。不过，不像人们普遍认为的那样，这根角并不会用来把食物像烤肉串一样穿在上面！

科学揭秘

想象一下，一只独角鲸在它的角上穿着一条鱼。还不错，是吗？可是，它又没有胳膊和手，怎么把鱼从角上撸下来送到嘴里呢？这根本做不到！况且，如果捕食需要用角，那大多数雌性独角鲸会饿死，因为它们根本就没有角！其实，独角鲸吃鱼、鱿鱼和虾，而且因为没有牙齿，无法咀嚼，它们吃东西都是囫囵吞掉。

结论
......
假

自有别的用处

独角鲸的角到底有什么用途，科学家还没有完全研究透彻。他们只知道独角鲸的角有丰富的神经末梢，可能会用来感知周边的环境，或用来求偶。

35

河马会自制防晒霜

我才不会被晒伤！

是真是假？

河马不用像人类一样，要涂上厚厚的防晒霜才能应对一天的大太阳。它们分泌的汗液里自带红色的"防晒霜"，这些汗液还能保护它们的皮肤，避免感染呢——可谓是一箭双雕！

科学揭秘

人们以前以为河马流出的红色汗液是血！不过现在科学家知道了，这只是含有橙色素和红色素的汗液。橙色素可以过滤掉有害光线，使汗液变成防晒霜，而红色素则有抗菌素的功效！

结论
真

嗯……不会不方便吗？！

蛇会张开大嘴
吞下猎物

猪、羚羊、鳄鱼，甚至人，面对一条饥饿的蛇都无力招架！可是，蛇是怎么把如此"大餐"吃到嘴里的呢？其实它并不是张大嘴巴，而是把它的颌骨开到非常宽！

科学揭秘

蛇的血盆大口背后藏着两个秘密。一是它嘴部的韧带和肌肉极其灵活，可以上下左右无限伸展；二是蛇的下颌骨的左右两部分前端不相连。这样就可以使它的颌骨自由活动，餐有多大，嘴就能张多大！

结论

假

大胃王

蛇的食物通常最少是它自身大小的75%，甚至和它本身一样大！

毛鼻袋熊的
便便
是方形的

是真是假?

毛鼻袋熊在动物界独树一帜，因为它是世界上唯一会拉出方形屎的动物！它们会把屎码起来，围出自己的领地，这种形状的屎不会轻易滚走。

科学揭秘

毛鼻袋熊之所以能拉出这么独特有趣的屎，秘密就藏在它的肠道末端。它们肠壁的某些部分比另一些部分更有弹性，所以把屎挤成了2厘米边长的小方块！

拉屎大王

一只毛鼻袋熊一夜之间可以拉出80~100个小屎块！

结论
真

海獭自备口袋

是真是假？

是真是假？

海獭是动物界为数不多以善于使用工具而著称的动物之一。那么，它们的工具怎么随身携带呢？海獭有一项完美的解决方案——它们腋下的皮囊正好可以当成口袋用！

结论
真

科学揭秘

海獭把它们的工具藏在"口袋"里，通常都是选一块用起来最顺手的，走哪儿都带着！它们会用石头敲开蟹、蛤等贝类的硬壳。海獭的口袋还有一个妙用，就是在水里觅食时，可以先把食物装在口袋里，等到了水面上，再打开口袋大快朵颐。

我看见你了!

蝙蝠都是瞎子

是真是假?

英语里有一句俗语叫"像蝙蝠一样瞎",不过这种说法应该被摈弃了。蝙蝠实际上有着非常优异的视力。一些蝙蝠的视力甚至超过大多数人类!

科学揭秘

这个误会的起源可能是因为蝙蝠是用回声定位而不是用视力来寻找猎物的。不过蝙蝠不靠眼睛可不是因为眼睛看不见,而是因为它们都是在漆黑的夜里找吃的,所以才看不清!蝙蝠的视力其实非常敏锐,在我们人类觉得伸手不见五指的环境里,它们也能看得见。

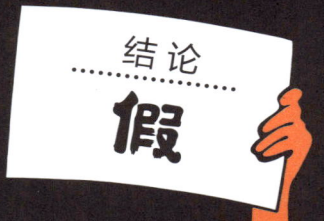

结论

假

40

袋鼠鼠

几乎从来不喝水

不喝，谢谢！

科学揭秘

袋鼠鼠生长在北美洲的沙漠里，那里极度缺水。它们不喝水，那么它们维持生命所需的水分是从哪里来的呢？答案就是它们的饮食，它们以植物的和子、茎、果实，还有各种昆虫为食。

是真是假？

如果你觉得骆驼可以几个月不喝水就很令人叹服了，那你应该认识一下袋鼠鼠！沙漠里的这些"居民"几乎从来都不用喝水！

名副其实的袋鼠……

袋鼠鼠的名字里含有"袋鼠"，它们也确实没有辱没这个名字，个个都是跳跃冠军！袋鼠鼠的两条后腿都是大长腿，让它们可以一蹦两米高！

结论
真

41

猫头鹰的头可以360度旋转

是真是假？

对于猫头鹰来说，想知道谁在身后，它们可以毫不费力地瞥上一眼，但是要说它们的头能转360度，未免有些夸张。不过，实际的转动角度也足够令人惊叹了，不论朝哪个方向都有270度，达到了360度的四分之三。

结论

假

科学揭秘

如果人类也试图做出同样的转头角度，那么头部的供血就会被切断，人就会昏死过去！猫头鹰之所以不会晕，是因为它们的颈部主动脉在脖子的正中间，所以当它们转头时，血管不会过度扭曲而导致供血不足。

我看到你了！

猫头鹰转头可不是一种单纯的炫技！由于它们的眼睛只能看到脑袋转向的地方，所以它们必须转头才能看到周围的环境。

北极狐可以随着季节变换而改变毛色

该换衣服了！

就像我们人类换季时要换衣服一样，北极狐也要换毛！它们的毛发在夏天时会变成棕色，而到了冬天就会变得雪白！

结论……
真

变换毛色可以使在冻原生活的北极狐随季节变换穿上不同的保护色。冬天时，北极狐需要白色的毛发，好躲在雪地里，不被北极熊等捕食者发现。而到了夏天，冬雪消融，泥地露出来，为了藏身，它们也要随之换上棕色的"衣裳"。

猪是肮脏的动物

是真是假？

可怜的猪！它们长久以来背负着肮脏的不公骂名，但实际上，它们之所以喜欢在泥里滚，完全是因为只有这样才凉快！

像猪一样干净？

有一种野猪（家猪的野生远亲）的爱干净程度已经达到了一个新高度。有人观察到，它们在吃东西之前，竟然会先把不干净的食物洗干净！

科学揭秘

猪无法正常排汗，所以在泥地里快速打个滚儿可以让它们在高温天气下不会被热坏。那些生长在凉爽的阴凉地的猪没有那么脏。正相反，猪对泥巴的热爱甚至可能让猪更干净，因为身上的泥巴干裂脱落时，可以把蜱虫等寄生虫从猪身上带走。

结论

假

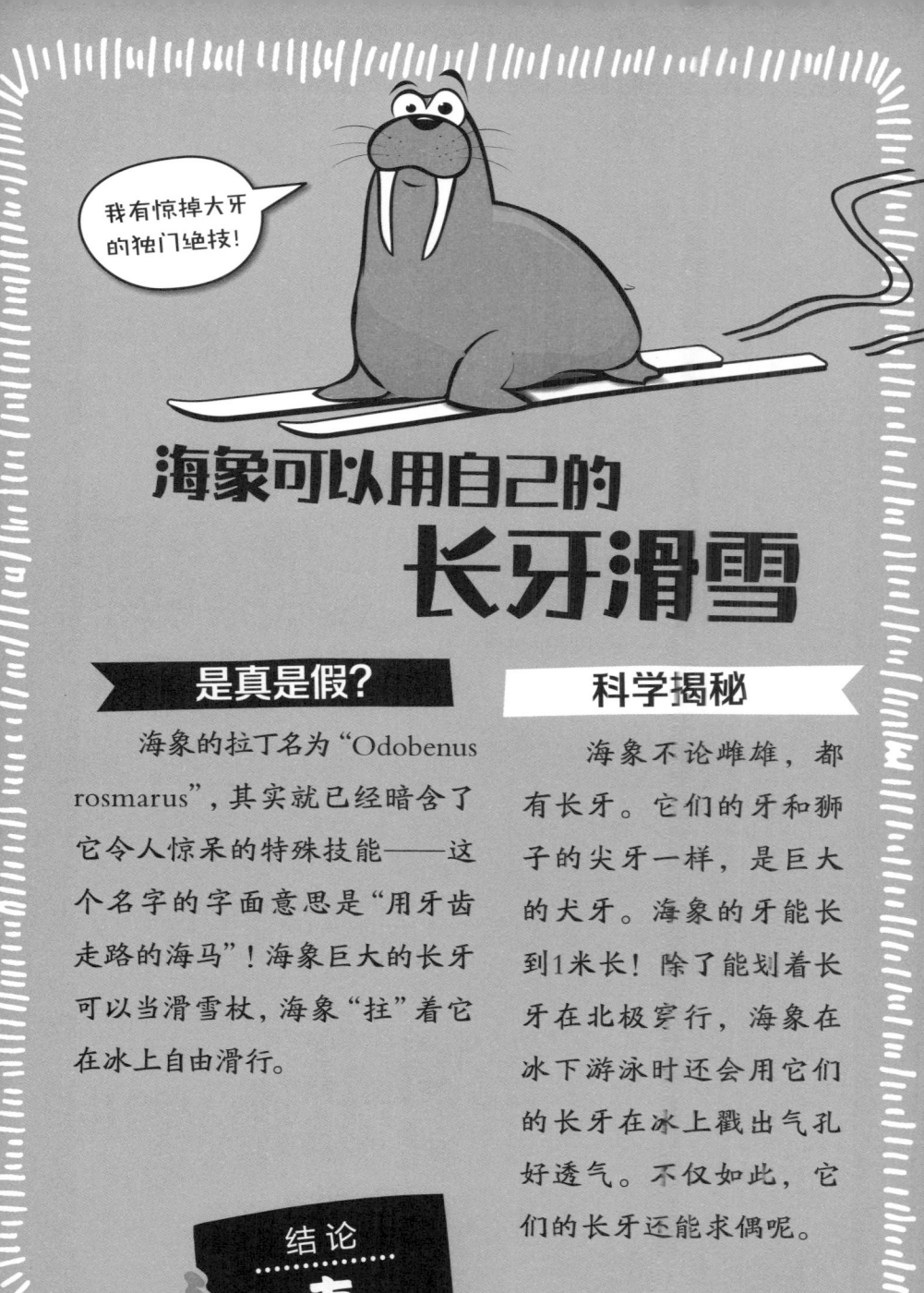

我有惊掉大牙的独门绝技！

海象可以用自己的
长牙滑雪

是真是假？

海象的拉丁名为"Odobenus rosmarus"，其实就已经暗含了它令人惊呆的特殊技能——这个名字的字面意思是"用牙齿走路的海马"！海象巨大的长牙可以当滑雪杖，海象"挂"着它在冰上自由滑行。

科学揭秘

海象不论雌雄，都有长牙。它们的牙和狮子的尖牙一样，是巨大的犬牙。海象的牙能长到1米长！除了能划着长牙在北极穿行，海象在冰下游泳时还会用它们的长牙在冰上戳出气孔好透气。不仅如此，它们的长牙还能求偶呢。

结论

真

45

林蛙
被冻上了
也能
活过来

我被冻住啦!

加拿大北部和阿拉斯加的丛林里,冬天的温度动不动就是零下40摄氏度。但对林蛙来说,这就是小菜一碟。它们在林地上过冬,和身边的叶子、土一起被冻上,被冻僵了也不怕。

科学揭秘

当温度降至零摄氏度以下时,林蛙的肝脏会产生大量的葡萄糖,这些葡萄糖会充满身体的每个细胞,防止林蛙的内脏被冻住。林蛙的心脏将完全停止跳动,身体一动不动,直到春天来临才开始解冻。然后,突然之间它就活过来了!

结论

真

人类
颈椎骨的
数量和
长颈鹿的
一样多

是真是假？

告诉你一个有趣的事实——几乎所有的哺乳动物都有7块颈椎骨！不论大小、高矮，不论是人，还是老鼠、鲸、长颈鹿——这些动物都有数量相同的颈椎骨！

科学揭秘

哺乳动物在动物界很不同寻常，因为它们的颈椎骨数量都是一致的。在鸟类中，不同物种之间颈椎骨的数量则差异巨大。比如，天鹅的颈椎骨数量是一只小型鸣禽的2倍！

也有例外！

海牛和树懒就不遵循这个规则！海牛和二趾树懒通常有6块颈椎骨，而三趾树懒则有9块颈椎骨。

结论
真

"长腿叔叔"

是世界上最毒的蜘蛛，可它的牙却连人的皮肤都咬不破

打起精神来！我们

来上一堂生物课。标题中

的说法是错的，原因有很

多。引人误会的罪魁祸首

就是"长腿叔叔"，这个

词指代的其实是至少两种

不同的动物。

48

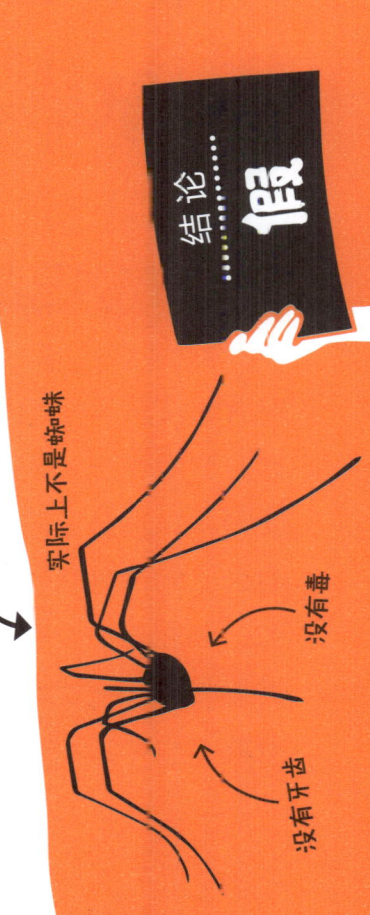

有微量毒液

有着可以咬穿人类皮肤的牙

你是骗子！

真正的蜘蛛

实际上不是蜘蛛

没有牙齿

没有毒

结论 假

科学揭秘

第一位"长腿叔叔"是盲蜘蛛，它其实并不是蜘蛛，虽然也是无脊椎动物，可它和蜘蛛根本就不属于同一科。盲蜘蛛没有牙齿，所以它不咬人，也没有毒腺，因此，它是无毒的！幻想破灭了！

第二位"长腿叔叔"是幽灵蜘蛛，它是一种蜘蛛，而且确实既有可以咬穿人类皮肤的牙齿，也有毒腺。不过，它的毒性除了会让人觉得有点痒以外，对人类并没有什么威胁。

所以，又错了！

49

黑猩猩
只吃水果

我们在想象一只黑猩猩是什么样子的时候，它手里一定拿着一支香蕉，对吗？其实，水果只是黑猩猩饮食中的一部分而已，它们也并不是人们一直认为的那样只吃素。

科学揭秘

20世纪60年代，动物学家珍妮·古道尔博士通过观察发现黑猩猩不仅会猎捕小型猴子和其他哺乳动物，还会找蛋和昆虫来吃，因此得出结论，黑猩猩是杂食动物。如今，我们已经知道肉、蛋和昆虫占了黑猩猩食谱的将近10%。

结论
假

蚊子 是世界上 最具杀伤力的 动物

科学揭秘

蚊子可以通过叮咬来传播多种疾病，如疟疾、登革热、黄热病等。有人可能会认为"最具杀伤力的动物"这个头衔有失公允，因为它们并不是直接攻击我们的。但是别忘了，蚊子仍然比其他任何一种动物，甚至人类自己的致死率都高！

是真是假？

什么动物最凶残？忘掉老虎、鲨鱼吧，小心蚊子！每年有超过100万人死于蚊子传播的疾病，这使得蚊子成为地球上杀伤力最强的动物！

潜藏的杀手

还有一个令人惊讶的潜藏杀手是河马！在非洲，河马每年导致大约500人丧生，是世界第二大具有杀伤力的哺乳动物，仅次于人类！

结论

真

火烈鸟
生来就是
粉红色

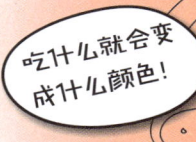

吃什么就会变成什么颜色！

是真是假？

没想到吧——这种颜色鲜明的鸟刚出生时羽毛竟然是灰色的！它们那一身令人震撼的粉红色源于它们的饮食，而不是生来就有这样的DNA！

结论
假

科学揭秘

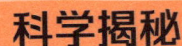

火烈鸟以藻类和卤虫为食，这两种东西都富含一种叫"β-胡萝卜素[1]"的色素。这种色素会传遍火烈鸟的全身，到达羽毛和皮肤，让它们呈现出鲜艳夺目的粉红色！

---

1 β-胡萝卜素在植物中大量存在，这也是胡萝卜呈橘红色的原因！

无耳海豹没有耳朵

我可听见了啊!

是真是假?

无耳海豹肯定没有耳朵! ——线索就在名字里, 对吧? ! 再好好想想! 虽然它们叫无耳海豹, 但其实它们有耳朵。我们只是看不到它们的耳朵, 因为它们的耳朵藏在皮下!

结论

假

科学揭秘

无耳海豹是3种主要的海豹之一。如果近距离观察, 你会发现它们脑袋上本来应该长耳朵的地方有两个小小的耳洞。它们脑袋里的内耳和其他海豹是一模一样的。

听不太清

由于没有外耳, 海豹在陆地上时可能会有点听不清。不过, 在水里, 它们的听力丝毫不受影响!

53

兔子的牙齿会一直长长

兔子的上门牙每周能长长3毫米！如果不时时磨牙，牙齿在1个月里就会长1厘米！家兔和野兔都需要吃青草、干草和其他植物来让牙齿变得更锋利。

是真是假？

和其他动物不同，兔子的牙齿会一直长下去！它们吃的食物会磨损它们的牙齿，所以兔子的大门牙才不会一直长到失控！

修剪牙齿

如果兔子的牙齿长得太长，可以请兽医把它们的牙齿修剪成正常长短。

结论
真

金鱼的 记忆只有3秒

是真是假？

过去人们普遍认为，鱼的记忆每过几秒就会被刷新，所以即使鱼在鱼缸里来回转圈，也不会觉得无聊。事实上，科学家发现，金鱼的记忆力非常好。它们可以学会新知识，并且过上几个月还能想起来。

科学揭秘

在一项实验中，鱼可以推开一个栏杆来获取食物。栏杆可以随时被推开，但每天只有一小时供应食物。于是鱼便学会了在那一小时里去推开栏杆。所以，鱼似乎不仅有强大的记忆力……某种程度而言，还能分辨时间呢！

结论

假

鲸可以在水下呼吸

> 喘不上气？不存在的！

是真是假？

和它的鱼类朋友不同，鲸在水里无法吸到氧气。鲸是哺乳动物，所以需浮出水面才能呼吸空气。幸运的是鲸可以长时间屏住呼吸，所以它们不用老是跳出水面来呼吸！

科学揭秘

鲸用头顶的呼吸孔来呼吸，这个孔有点像长在头顶的一个鼻孔。它们可以在血液和肌肉里储存多余的氧气，并且让身体系统运转得慢一些，因此可以憋气很长一段时间。

让人惊讶得无法呼吸的真相

柯氏喙鲸保持着鲸类最长憋气时间的世界纪录，它们在水下憋气的时间真的很长——可达222分钟！

结论

假

袋鼠宝宝只有一颗糖豆那么大

我在这儿呢！

是真是假？

虽然成年红袋鼠身高超过2米，十分惹人注目，但它们的幼崽刚出生时却只有2厘米长——也就是像一颗软心糖豆那么大！

科学揭秘

这些小家伙一出生就顺着妈妈的皮毛爬到育儿袋里。接下来的几周里，它们会一刻不停地喝奶！4个月大时，它们开始爬出育儿袋，去进行一些短途的探险。长到大约10个月大，它们就可以完全离开妈妈的育儿袋了。

结论……
真

豪猪可以把身上的刺射向捕食者

退后!

豪猪并不像人们认为的那样是动物中的"弓箭手",它们也并不能把身上的刺射向捕食者。不过被碰到的话,它们的刺很容易脱落,并且会刺破捕食者的皮肤。可能正因为如此,才有豪猪会射箭的传言吧。

科学揭秘

豪猪的刺其实是非常硬的毛发!北美豪猪的刺顶端有成百上千个细小的倒钩,一旦被它的刺刺到,就很难拔出来。这些倒钩也让它的刺更容易刺破其他动物的皮肤。

善于用刺的大师

北美豪猪有大约3万根刺!当它们抖动身体时,身上快要掉的刺就会四处乱飞——要小心了!

结论

假

58

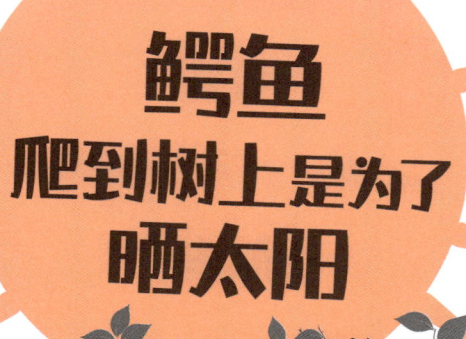

鳄鱼
爬到树上是为了晒太阳

科学揭秘

听起来也许有点可笑，可是鳄鱼幼崽确实会爬树，而且会经常爬到树上！科学家们认为，离开地面，爬到较低的阴凉的树干上，可以让鳄鱼更容易沐浴在阳光里，从而暖和起来。

鳄鱼和其他爬行动物都是冷血动物，也就是说，它们要靠周围的环境来控制体温。天气冷的时候，爱晒太阳的鳄鱼会躺在有阳光的地方，好让自己暖和起来；而天气热的时候，它们就会躲在阴凉地或水里来让自己凉快些。

结论
真

瓢虫身上的斑点越多，它的岁数就越大

是真是假？

虽然把斑点多的瓢虫想象成一个乔装打扮的老妇人是一件很有趣的事，可是瓢虫身上斑点的数量其实取决于它的品种，而不是年龄。所以，一只瓢虫宝宝也可能穿着波点"衣服"，而一只老年瓢虫身上可能只有2个斑点！

科学揭秘

某些种类的瓢虫身上的斑点数量是固定的，比如七星瓢虫。还有一些瓢虫身上的斑点数则很灵活，比如二星瓢虫，它们有的瓢身上竟然有多达16个斑点，真令人困惑！

瓢虫都有斑点吗？

一些瓢虫根本就没有斑点！还有一些瓢虫身上是条纹，或者斑块和条纹混合的样子。

结论 **假**

60

嘿,兄弟!

嘿!

被切成**两段**的蚯蚓
会长成**两条蚯蚓**

是真是假?

千万别在家里做这个试验!不仅因为这样做太残忍,也因为这根本就是假的!蚯蚓被切成两段后,有头的那段会活下来,但尾巴那段会死掉。虽然蚯蚓做不到再生,但有其他虫子有熟练的再生技能。

科学揭秘

某些扁形动物只需要原先身子的二十分之一那么长的一截,就可以完整地长成原先的大小!还有一些虫子可以断掉身体的某些部位,并且用断掉的部位"克隆"自己,长成新的虫子!

结论
假

有一种水母可以长生不老

我会长生不老

是真是假？

当一只成年灯塔水母受伤或被挤压，它可以逆转生命轮回，重新变回水母宝宝！它能不断地这样变化，因此，理论上来说，它可以长生不老！

科学揭秘

水母的生命周期通常是这样：由卵孵化出幼虫，再长成水螅虫，最后长大成为一只成年水母。长生不老的水母可以从成年变回幼虫，然后再"长大成人"！

虽渺小但强大

长生不老的水母身长和身宽都只有4.5毫米，只有一颗炒黄豆那么大！

结论
真

臭鼬 很臭

可怜的臭鼬，"臭"名昭著，人们都说它很臭很臭！虽然它们遇到危险时，会释放一种难闻的气体，但大多数时候，它们的体味再正常不过了！

科学揭秘

臭鼬难闻的气味来自它屁股里的腺体。如果有捕食者追捕，臭鼬就会释放出一团恶心的臭气把敌人熏跑。如果瞄准攻击者，它能把一股臭气不偏不倚地放在敌人的脸上！咦——好恶心！

结论

假

63

一些蜥蜴 可能会
故意
断掉尾巴

刚才明明
还在的！

是真是假？

你的胳膊或腿被什么东西夹住过吗？想象一下，不靠慢慢活动把被夹住的肢体解救出来，而是直接弄断它！还真有"人"这么干，那就是蜥蜴——如果捕食者抓住蜥蜴的尾巴，它们就会断掉尾巴，迅速逃跑！

备用尾巴

蜥蜴断尾后，要过6到12个月才能长出一条新的尾巴，这条新尾巴通常比原来的更短，色彩也没原来的鲜艳。不过，丢掉一条尾巴，捡回一条命，绝对超值！

科学揭秘

蜥蜴刚孵出来时，尾部有一个比较松动的环节。如果有什么东西给这个环节施加压力，比如被捕食者咬住时，这个环节两侧的肌肉就会收缩，尾巴就会脱落！神奇的是，在这个过程中，蜥蜴都不会流血，可以毫无牵绊地逃走。蜥蜴断尾没有固定次数，不过，确实有一些可怜的蜥蜴，由于断尾到一定极限，再也长不出新的尾巴。

结论
真

在美国，被圈养的老虎比在野外的老虎多

是真是假？

据估计，美国有5 000只老虎被关起来。很不幸，这一数字超过了全亚洲在野外生存的老虎数量——约3 900只。

结论
真

科学揭秘

在美国，老虎大多数归私人所有，养在一些小型主题公园或景点，甚至养在居民自己家的花园里。许多养虎的人并没有足够的经验和场地来好好照顾他们的老虎，老虎也会感到精神压抑、不开心。把老虎作为宠物也是极其危险的，因为它们是强有力的捕食者，可以轻而易举地致人于死地。

65

大猩猩会在巢里睡觉

睡错巢了？

一说到巢，应该是鸟儿的专利，对吗？错！一些山地大猩猩夜里也会蜷缩在巢里睡觉，它们通常把巢建在树上或地上。

和妈妈睡

幼年大猩猩在3岁以前都会和妈妈睡在同一个巢里。等到满3岁了，它们就可以出去闯一番天地，修筑属于自己的小巢了！

科学揭秘

大猩猩每天晚上都会筑巢！它们会在安全隐蔽的地方选一棵能承受它们重量的树，然后用树枝和树叶建一个舒服的巢。有些巢距离地面有20米那么高！比起又高又冷的半山腰，大猩猩更喜欢在地面上筑巢，因为这样可以让它们保暖。

结论
真

所有猫科动物
都讨厌沾水

是真是假？

虽然大多数宠物猫都很怕水，但并非所有猫科动物都讨厌沾水！许多大型猫科动物，比如老虎，就特别爱游水，动不动就要到水里去凉快一下。

结论
············
假

科学揭秘

关于家猫为何怕水，科学家还没有研究透彻。有一种说法是，把毛弄湿了会让猫咪感到很不舒服，好像有什么东西压在身上一样。这可能就是为什么一些毛皮更加防水的纯种猫科动物会不时去水里嬉戏一番吧！

所有的
火鸡都是
咯咯叫的

呼噜?

是真是假?

许多人认为所有火鸡都会发出"咯咯"的叫声。其实，只有雄性火鸡才会咯咯叫！它们这么叫是为了吸引雌性火鸡。

科学揭秘

雄性火鸡经常站在树上咯咯地叫，叫声比在地上传得还要远！其实，雌雄火鸡都会发出其他一些没那么令人"耳熟能详"的叫声，包括短促而尖厉的"咕"声，像鸭子一样的"嘎嘎"声，甚至还有"呼噜"的声音！

猜猜我是谁?

不光是火鸡，还有一些鸟类的叫声也令我们感到迷惑。你知道吗？猫头鹰典型的叫声"呜——呼——"其实就是一只雌性猫头鹰先冲一只雄性猫头鹰叫了一声"呜——"，紧接着这只雄性猫头鹰就会回她一声"呼——"！

结论

假

飞蛇

能在

天空中 滑翔

是真是假?

这听起来可能像天方夜谭，但其实完全是真的！东南亚雨林里的飞蛇可以在空中滑翔，从一棵树滑向另一棵树。小心头顶！

科学揭秘

许多会飞的动物都有平展的皮，像鸟的翅膀一样，可以增加它们的表面积，让它们慢慢下落。飞蛇舒展身体后，身体变得更宽，可以达到和鸟翅膀同样的效果！它们在空中"滑翔"时，扭动身体呈"S"形，好保持动作的平稳。

结论……

真

马只能站着睡觉

是真是假？

这一说法有点儿不太好下结论，因为马确实是会站着打个盹儿的！不过，要是想好好地睡上一觉，马就会躺下来了。

科学揭秘

由于躺下的马要花好一阵子才能站起来，所以站着小睡对它们来说更安全。如果突然有捕食者来了，它们好及时逃跑。它们之所以不会摔倒，是因为它们睡觉时把腿关节固定住了！

结论

假

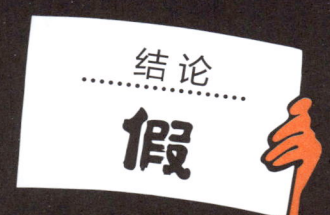

胡萝卜是兔子最好的食物

我的!

是真是假？

别再提兔子爱吃胡萝卜这件事了！兔子不能经常吃胡萝卜，因为胡萝卜糖分太高，长期吃会让兔子体质变差。

科学揭秘

家兔的祖先——野兔从来不吃像胡萝卜这类根茎植物，所以我们可爱兔子的消化系统并不适应这些根茎植物。偶尔一顿吃少量的胡萝卜还行，但长期作为主食就吃不消了。

再拉一遍

兔子第一遍吃下食物后，无法充分吸收其中的营养素，于是它们就会把自己的粑粑吃掉！第一遍拉出来的兔子屎是软的，富含各种营养成分。食物被再次消化后，它们的粪便才会变得又干又硬。

结论……
假

老鼠 爱吃 奶酪

是真是假？

我们经常看到的动画片里，老鼠似乎永远也吃不够奶酪！不过，和我们的普遍认知正相反，比起一块奶酪，老鼠似乎更喜欢吃花生或葡萄干！

科学揭秘

在野外时，老鼠并不会吃到类似奶酪的食物，所以它们很可能不会被奶酪的气味和味道所吸引。它们更倾向于在橱柜里找粮食和干果吃，这些吃的和它们在大自然里能找到的谷物和水果更接近。

结论 假

蜘蛛网比钢铁还要牢固

假如你不小心粘上蜘蛛网，就庆幸它是小的吧！要是蜘蛛网的尺寸有一架飞机那么大，那飞机都会困在里面出不来！虽然蛛丝都很纤细，可大多数蛛丝的牢固程度是钢铁的5倍！

科学揭秘

科学家们认为，蜘蛛网如此牢固的奥秘在于它的结构。他们发现，一根蛛丝是由成千上万根细丝拧成一股而成，就像电缆一样。这样的结构使得蛛丝异常牢固。

蜘蛛网在哪儿呢?

一些蜘蛛会结出"隐形"的网。它们的丝是半透明的，不会反射光线，所以昆虫在远处是看不到蜘蛛网的，等到昆虫能看见时，已经晚了！

结论

真

背对以月亮喉叫着

嚎叫是狼的一种交流方式。它们随时随地都会嚎叫，不论白天还是黑夜！一只狼如果想给同伴"发个定位"，告诉它们它自己在哪儿或者哪儿有猎物，又或者想告诉同伴有危险，一声嚎叫是远距离传递消息的最佳途径。

是真是假？

"嗷呜——！"谁觉得这是狼对着月亮嚎叫的声音，请举手！狼嚎叫的原因有许多条，但唯独没有因为月圆这一条！

哥们儿，你在哪儿？给兄弟带个话！

结论

假

蟑螂就算掉了脑袋 也能活

是真是假?

吓不吓人?这居然是真的!断了头的蟑螂还能轻而易举地活上几个星期!就连离开身子的头都能独自存活好几个小时——好恐怖!

没想到吧!

科学揭秘

蟑螂的血管可以迅速收缩,所以即使头掉了,也不会失血过多。它们没有嘴也能活,因为它们是通过身体上的气孔呼吸的;而且如果不怎么活动的话,也不需要吃太多东西。看到这里,你可能不禁要想,既然这样,那它们还长头干什么!

结论

真

再见了,脑子!

蟑螂的身上甚至有可以控制简单动作——比如走路——的神经,所以,没了脑子也完全不成问题!不过,没了头的蟑螂最后还是会被饿死。

76

猫从高处落下时
总是脚先着地

如果你看到过一只猫咪从高处落下,你就会发现它们掌握着最巧妙的着陆技巧。可是猫是怎么做到的呢?秘密就在于空中转体!

科学揭秘

猫在下落时,会在半空中同时朝着两个方向扭转脊柱。它们的后腿来回摆动,这样就可以用脚着地了。不过,猫咪只有从足够高的高度落下时,才能扭转身体。如果下落距离只有几厘米,它们根本来不及转动身体来调节落地的角度。"喵!好疼!"

结论

真

摸完癞蛤蟆会长癞疮

别摸我！

是真是假？

这个传言由来已久！癞蛤蟆（学名"蟾蜍"）确实有着凹凸不平的皮肤，不过它们身上并没有可以传染给人类的癞疮（学名"疣"）！

科学揭秘

癞疮是由病毒引起的，具有传染性，不过，它只在人类之间传播，不会从两栖动物传播到人类！然而，一些癞蛤蟆确实会从皮肤中释放毒素来抵挡捕食者，所以最好还是不要摸癞蛤蟆。

结论……

假

鲨鱼在地球上生存的历史比树还要长

是真是假？

最早的鲨鱼可追溯到4亿年前，也就是说，它们在地球上的时间比树还要早5 000万年！

强大的巨齿鲨

巨齿鲨是有史以来最大的鲨鱼，而它早在360万年前就已经灭绝了！这种嘴巴巨大的大块头，身长可达到15~18米，是现在最大的鲨鱼——大白鲨的3倍！

科学揭秘

4亿年来，鲨鱼进化出许多不同种类——居住在不同类型、不同深度的水里，以不同猎物为食。体形也有大有小。科学家们认为，这样的种群多样性使它们在4亿年里遭遇5次物种大灭绝事件后仍然能延续，因为有几种鲨鱼，不管遇到什么样的新环境，都能很好地适应。

结论

真

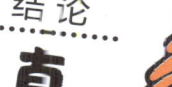

非洲狮是丛林之王

是真是假？

　　非洲狮绝对是可以掌控局面的角色，因为它们能轻松地捕杀栖息地里几乎所有的大型动物。不过，问题在于非洲狮其实并不住在丛林里！所以，我们称它们为"草原之王"似乎更贴切，只不过听着没那么顺耳罢了。

科学揭秘

　　非洲狮喜欢住在开阔的地方，因为那里更容易看到并抓到猎物。雌性狮子是主要的猎手。它们相互协作来抓捕快速奔跑的猎物，比如斑马、羚羊和角马等。这些动物比狮子跑得快，可没狮子聪明！所以，"草原女王"的名字似乎更恰当。

晚饭时间到了

　　狮子大多在夜晚狩猎，因为这时猎物的警觉性最低！狮子的夜视能力极佳，在夜晚都可以看得很清楚。它们还喜欢在狂风暴雨中狩猎，因为这时风雨声太大，猎物听不到它们靠近的声音。

结论

假

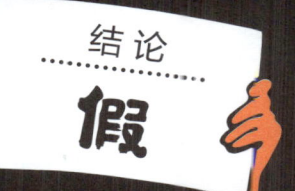

81

大熊猫是濒危动物

好消息——大熊猫已经不在野生动物保护协会的官方濒危动物名单上了！由于保护区的努力和育种计划的实施，它们如今的保护等级已经降级为灭绝程度更低的"易危动物"，而且大熊猫的数量还在不断增加！

耶！

科学揭秘

中国修建了很多大熊猫自然保护区，熊猫可以安逸地生活，尽情地玩乐，想吃多少新鲜的竹子就吃多少！大熊猫的繁育技术也日益发展。等熊猫宝宝长大后，会被放归大自然，这样，大熊猫的数量得到了极大增长。

日常消耗

一头大熊猫一天要吃掉将近13千克竹子！有进就得有出——它们每天要拉屎40次左右！

结论

假

82

驯鹿怕热不怕冷

是真是假?

驯鹿生长在寒冷的北极,那里的气温在一年中的大部分时候都是零摄氏度以下。不过,神奇的是,驯鹿基本感觉不到冷,因为它们的毛皮非常保暖。正相反,它们其实更怕热呢!

科学揭秘

只要感到有一点点热,驯鹿就开始像狗一样喘气,并把血液输送至腿部。相较其他身体部位,驯鹿的腿部没有那么多毛,所以当血液流通至腿部时,冷空气就可以给血液降温。当北极的夏天来临,驯鹿就要脱去厚厚的冬装,因为北极夏天的最高气温可达14摄氏度,这对于驯鹿来说就已经是热带气温了!

这天儿可真热啊!

结论

真

熊会冬眠

是真是假？

许多人认为熊在冬天会冬眠，不过严格来讲，这种说法是不对的！熊只是会睡一个长长的大觉，但那不是真正的冬眠，因为它们面临危险时就会立刻醒来。

科学揭秘

睡大觉时，熊的心跳和呼吸都慢下来，它们也停止了吃喝拉撒这些活动。它们会在窝里、树洞里或山洞里睡大约100天。怀孕的熊会醒来生下熊宝宝，然后继续睡去！呼噜呼噜！

请勿打扰！

结论

假

乌鸦喜欢恶作剧

是真是假？

乌鸦是动物王国的讨厌鬼！这些捣蛋鬼总是互相捉弄，还捉弄其他动物！

科学揭秘

你会经常看见这些无耻的乌鸦成群结队地撩猫逗狗！它们还会模仿人类的声音，学着人的口气呼唤宠物鸟来吃食，实际上却只是为了搞破坏！

谁来搞点恶作剧？

聪明的乌鸦

在日本，一群极其聪明的乌鸦知道如何把坚果扔在马路上，好让过路的车辆把坚果壳碾碎。它们十分高明地把坚果扔在路口，于是车辆必须不时停下来，正好给了它们啄食果实的时间。

结论

真

85

和鼩比起来，象鼩和象更亲

嘿，表弟！

是真是假？

很奇怪，象鼩并不属于鼩家族！它们反倒和大象的关系更近一些，因为它们属于同一类哺乳动物。

科学揭秘

象鼩和大象极有可能有着共同的史前祖先。巧的是，象鼩也有大象最显著的特征——一个长长的象鼻子！象鼩也正是因此而得名。

结论

真

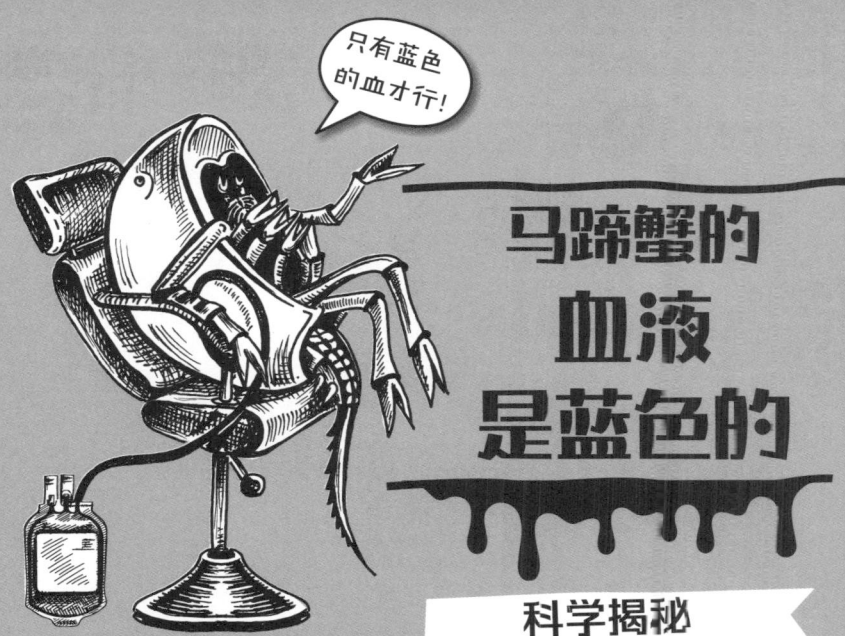

只有蓝色的血才行!

马蹄蟹的血液是蓝色的

科学揭秘

是真是假?

很难想象,血液除了鲜红色以外还会有别的颜色!但是动物世界的血液其实是五彩斑斓的。一些蜥蜴的血是酸橙绿,而马蹄蟹的血则是亮蓝色的!

身体里的血液呈现出什么颜色,背后的奥秘在于将氧气输送至全身的是什么物质。人类的血液中含有富含铁的血红蛋白,所以我们的血液就是红色的。而马蹄蟹的血液中含有血蓝蛋白,血蓝蛋白里没有铁元素,而有铜元素,所以马蹄蟹的血液就是蓝色的了!

谁需要颜色呀?

别说蓝色和绿色的血液了——南极冰鱼的血液压根什么颜色都没有!它也没有鳞片,这让它在海洋生物里显得那么奇特!

结论……
真

珊瑚是

是真是假？

　　你看到珊瑚礁时，很容易觉得珊瑚是长在那里的植物。但珊瑚实际上是一种叫"珊瑚虫"的小动物的栖息地。珊瑚虫在小石坑里生长，把这些石头连成一片，形成大块的外骨骼。

一种植物

珊瑚虫有一个口，口边长满触手。珊瑚虫极难被看清，因为它们通常只有不到1.5厘米粗。不过很容易就能看到它们的外骨骼，大概正因如此，人们才忽视了里面包裹着小小的珊瑚虫吧！

结论......

假

89

词汇表

病毒： 一种能引起疾病的微生物。

哺乳动物： 自身分泌乳汁来哺乳幼崽的动物。

传染性： 具有传染性的东西可以轻易从一个生物体传播到另一个生物体上。

纯种： 指亲代及其他亲属均为同一品种的生物。

单孔目动物： 卵生哺乳动物，如鸭嘴兽。

倒钩： 尖锐物顶端倒着长的尖钩，可以让该尖锐物一旦刺入另一个物体就难以拔除。

冬眠： 一些动物在冬天要进入一段长时间的沉睡状态，其间身体代谢活动减少，这段时间就是冬眠。

毒素： 有毒的物质。

多样性： 许多不同的事物共存。

分子： 两个或两个以上原子相结合形成分子。

滑翔： 利用空气的浮力代替翅膀或发动机的力飞行。

回声定位： 蝙蝠等动物利用声波来感知事物或觅食等。

基因： 包含决定生物发育、生长、运转的遗传信息单元（通常指脱氧核糖核酸）。

寄生虫： 依赖其他动物存活，并可能给其寄生的宿主带来危害的动物。

交配： 动物通过与其他同类交配来繁殖后代。

抗菌素 ： 可以杀灭有害细菌的物质。

克隆（动物）： 从一个动物身上提取基因，复制出一个具有相同基因的动物，这个复制出来的动物就是克隆动物。

口器： 某些昆虫管状的长嘴。

冷血动物： 又称变温动物，这种动物无法调节自身体温，只能随着外界环境改变体温来取暖或乘凉。

两栖动物： 在陆地上和在水里都能生存的动物，如青蛙。

灭绝： 已经灭绝的动物曾经存活在地球上，但如今已经不复存在。

模仿： 模仿某人的动作或声音。

爬行动物： 长有鳞片的卵生动物，如蛇。

迁徙： 从一个地方迁移到另一个地方，通常在换季的时候进行。

圈养： 指将动物关起来饲养，不让它离开圈舍或笼子。

韧带： 连接两块骨骼并支撑肌肉的纤维组织。

色素： 可以让物体呈现某种颜色的物质。

神经： 一组可以将信息传递到全身的纤长细胞。

受精： 精细胞和卵细胞结合，一个新生命开始孕育。

水螅： 生长在水里的一种单个圆筒状生物，如珊瑚虫；也指水母的水螅体阶段。

脱氧核糖核酸（DNA）： 生物体内含有遗传信息的化学物质。

外骨骼： 无脊椎动物身体表面起支撑作用的一层坚硬结构。

无脊椎动物： 没有脊柱的动物，比如蜗牛。

物种大灭绝： 指地球上生物的数量和种类都大规模锐减，超过四分之三的生物灭绝。

细胞： 生命活动的基本结构与功能单位。

消化： 将食物转化为易被身体吸收利用的物质，这个过程叫做消化。

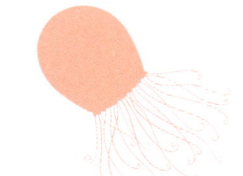

性别：生物体的雌或雄。

血管：身体里供血液流通全身的管道。

血红蛋白：某些动物（包括人类）红细胞内的一种物质，可以与氧结合，并将氧输送至全身。

血蓝蛋白：某些动物体内的一种物质，可以与氧结合，并将氧输送至全身。

牙釉质：牙齿表面一层坚固的白色物质。

氧气：空气中的一种气体，细胞需要利用氧气来产生能量。

营养素：生物体赖以生长和维持健康的物质。

有袋类动物：哺乳动物的一种，胎儿尚未完全发育时便早产，比如袋鼠。

有毒的：指如果被我们吃掉或摄入会给我们带来危害的物质。

幼虫：昆虫从虫卵中孵出，尚未长成成虫时的阶段。

育种计划：鼓励或帮助动物生育，以增加其种群数量。

杂食动物：既吃植物又吃其他动物的动物。

植食动物：只以植物为食的动物。

自然保护区：对动物、植物及其天然的生长或栖息地进行保护的区域。